JESUS GLORIFICADO

- VOLUME 2 -

Professora Rute Mendonça
Pregadora Ecumênica da Religião de
Deus, do Cristo e do Espírito Santo

William Luz
Coordenação e desenhos

Texto inspirado nas explicações do Irmão Paiva Netto sobre o Apocalipse do Divino Mestre pela Super Rede Boa Vontade de Comunicação.

São Paulo/SP — Brasil — 2024
Editora Elevação

Autora: Rute Mendonça
Coordenação e desenhos: William Luz
Produção editorial, desenhos e revisão: Equipe Soldadinhos de Deus
Impressão: Mundial Gráfica

Depósito legal na Biblioteca Nacional conforme
Decreto nº 1.825, de 20 de dezembro de 1907.

Dados Internacionais de Catalogação na Publicação (CIP)

M539j

Mendonça, Rute

Jesus Glorificado — 1ª ed. — São Paulo : Editora Elevação, 2024,
v.2. (*Coleção Ecumênica Apocalipse de Jesus para as crianças*).
Ilustração William Luz. 32. p. : 24 x 24 cm.

ISBN: 978-65-85860-07-9

1. **Quarta Revelação**. 2. Jesus Cristo. 3. Espiritualidade. 4.
Apocalipse de Jesus. 5. Evangelho de Jesus. 6. Paiva Netto, José de.
I. Luz, William. II. Título

CDD-228.07

Índice para catálogo sistemático:
1. Apocalipse : Comentários 228.07

Rua Doraci, 2-A, sala 103 – Bom Retiro
São Paulo/SP – CEP 01134-050

ELEVAÇÃO

www.elevacao.com.br

Vamos ler com os nossos pais o

Tratado do Novo Mandamento de Jesus,

reunido por Paiva Netto, consoante o Evangelho do Cristo de Deus, segundo João, 13:34 e 35; e 15:7, 8, 10 a 17 e 9.

Ensinou Jesus, o Cristo Ecumênico, o Divino
Estadista*: "13:34 *Novo Mandamento vos dou:*
amai-vos como Eu vos amei. 13:35 *Somente*
assim podereis ser reconhecidos como meus
discípulos, se tiverdes o mesmo Amor uns pelos
outros.

15:7 *Se permanecerdes em mim e as minhas*
palavras em vós permanecerem, pedi o que
quiserdes, e vos será concedido. 15:8 *A glória de*
meu Pai está em que deis muito fruto; e assim
sereis meus discípulos.

15:10 *Se guardardes os meus mandamentos,*
permanecereis no meu Amor; assim como
tenho guardado os mandamentos de meu Pai
e permaneço no Seu Amor.

15:11 *Tenho-vos dito estas coisas a fim de que a*
minha alegria esteja em vós e a vossa alegria
seja completa.

15:12 *O meu Mandamento é este: que vos ameis*
como Eu vos tenho amado. 15:13 *Não há maior*
Amor do que doar a própria vida pelos seus

amigos. 15:14 *E vós sereis meus amigos se fizerdes*
o que Eu vos mando. 15:17 *E Eu vos mando isto:*
amai-vos como Eu vos amei.

15:15 *Já não mais vos chamo servos, porque o*
servo não sabe o que faz o seu senhor; mas
tenho-vos chamado amigos, porque tudo
quanto aprendi com meu Pai vos tenho dado
a conhecer.

15:16 *Não fostes vós que me escolhestes; pelo*
contrário, fui Eu que vos escolhi e vos designei
para que vades e deis bons frutos, de modo
que o vosso fruto permaneça, a fim de que
tudo quanto pedirdes ao Pai em meu nome Ele
vos conceda.

15:17 *E isto Eu vos mando: que vos ameis como*
Eu vos tenho amado. 15:9 *Porquanto, da mesma*
forma como o Pai me ama, Eu também vos
amo. Permanecei no meu Amor".

* **Jesus, o Cristo Ecumênico, o Divino Estadista** — Leia sobre o assunto na página 32.

Jesus
Ilustração que representa Jesus, o Cristo Ecumênico, o Divino Estadista.

Vovó Lola
Gosta de contar histórias e aproveitar o tempo com seus netos. Ela é muito paciente e extremamente bondosa.

Vicente
Dedicado, sempre encontra tempo para estar com sua família.

Juju — 10 anos
Cheia de energia, gosta mesmo é de explorar e aprender novas coisas e também passar tempo com os amigos.

Naomi
Gentil e atenciosa, Naomi gosta muito de livros e música.

João Evangelista
Ilustração que retrata João, o Evangelista e Profeta, Discípulo de Jesus.

Sarita — 9 anos
Curiosa e inteligente, ela adora conhecer novos lugares e faz amigos por onde passa.

Vítor — 12 anos
Gosta de ler e estudar assuntos diversos, além de querer sempre aprender.

Luizinha — 8 anos
É muito alegre, divertida e sorridente. Seu lazer preferido é brincar.

Yuri — 9 anos
Extrovertido, ama conversar e fazer novos amigos. Ele é muito alto-astral.

Prece da Criança Boa

Leopoldo Machado (1891-1957)
Legionário da Boa Vontade nº 2

— Senhor, Tu me dás tudo:
Vida, saúde, força e inteligência!
Eu não Te dou, contudo,
Nada ainda, Senhor!
Porém, tenho esperança
De dar-Te muita coisa,
Enquanto sou criança!

Eu Te prometo honrar
Na vontade de ser obediente
A meus pais, a meus mestres, no meu lar,
E boazinha para toda gente
E na vontade também
De cooperar, Senhor, de cooperar
Na prática do Bem,
Sem cometer jamais
Nada que fira, que maltrate e doa
Nem aos pequenos, nem aos animais.
Eu quero ser uma criança boa.
(Eu sou uma criança boa!)

TARDE CHUVOSA

Montanhópolis amanhece bem ensolarada, do jeitinho ideal para se aproveitar as férias. As crianças, saltitantes, não querem perder um minuto que seja.

— Oba, que dia lindo! Vamos brincar bastante, Sarita!

— Com certeza, Luizinha, como é bom estarmos aqui na casa da vovó!

Depois de muito corre pra cá e pra lá, jogar amarelinha e pegar frutas nas árvores do quintal, o almoço fica pronto. E tudo está delicioso, afinal a dona Lola faz aquela comidinha saborosa de vó!

— Mãe, a comida estava muito boa, mas agora preciso ir. A Carmelita está me esperando — lembra seu Vicente, já começando a se despedir de todos. — E, crianças, aproveitem a oportunidade de estar com a vovó! Cuidem bem dela! E muito obrigado, mãe, pelo carinho de sempre. Tenho certeza de que os meus filhos ficarão em ótimas mãos.

— Vá com Deus, meu filho! Dê um abraço na Carmelita por mim. E não se preocupe, eles vão se divertir muito.

— Tchau, pai — despedem-se Vítor, Juju e Luizinha ao mesmo tempo.

— Fiquem com Deus também! Mês que vem volto para buscá-los!

A vovó se apressa em levar a turminha para dentro de casa, pois o tempo está mudando e logo, logo a chuva irá cair; nessas horas, nada melhor do que estar protegido.

— Venham! Vou preparar um bolinho de chuva para nosso lanche de hoje.

Mas os planos logo mudam. Naomi, a mãe do Yuri, chega e faz um convite para que o lanche daquela tarde seja na casa dela.

— Fiz bolo de chocolate, porque sei que é o sabor de que mais gostam. Que tal?! Vamos lá?

Na varanda e devidamente acomodados, uns na rede e outros em bancos de madeira, de onde se tem uma visão maravilhosa da chuva fininha que começa a cair, Yuri tem uma excelente ideia.

— Vovó, por que a senhora não aproveita e conta mais um pouco da história de ontem?

— Que história é essa que deixou meu filho tão animado, dona Lola?

— É sobre o Apocalipse de Jesus. Você já conhece, Naomi?

— Já ouvi uma vez, mas gostaria de saber mais um pouco.

JESUS GLORIFICADO

— Bom, então vamos lá: João Evangelista estava onde mesmo? Quem se lembra?

— Eu me recordo, a senhora disse que ele estava na ilha de Patmos.

— E por que, Juju?

— Porque foi ordenado que ele parasse de falar sobre Jesus para as pessoas. Só que ele não parou. Então, foi preso lá naquela ilha, longe de tudo e de todos.

— Isso mesmo! — confirma a vovó. — E é importante que saibam que, mesmo estando preso, João Evangelista estava integrado no Dia do Senhor.

— Dia do Senhor? O que quer dizer isso? Seria sábado? Ou domingo? — Vítor questiona.

— Já sei! — Luizinha diz confiante. — Deve ser no dia em que a gente não vai à escola!

Envolvidos naquela história diferente e empolgante, eles nem percebem que um lindo arco-íris havia surgido no Céu, criando o clima perfeito para aquele momento especial.

— João Evangelista estava em Espírito no Dia do Senhor — continua a vovó. — Isso quer dizer que não estava vivendo determinado dia da semana, do mês ou do ano, conforme vemos no nosso calendário. Na verdade, ele estava no Espaço e Tempo de Deus. E, assim, com o pensamento conectado ao Mestre Amado, conseguiu cumprir sua missão espiritual de registrar sobre o Amor de Jesus desde o passado até o futuro da humanidade.

— Vovó, como ele conseguiu isso?

— Calma, Yuri, vocês já vão entender! Afinal, ele recebeu autorização divina para esta tarefa tão importante. E vamos ver, então, crianças, o que aconteceu em seguida: João Evangelista ouve, por detrás dele, uma voz muito forte, como se fosse o toque de uma trombeta. Vocês já ouviram o toque de uma trombeta, não ouviram?

Representação de uma trombeta.

Sarita, olhando para os priminhos, recorda:

— Sim, nós assistimos a um filme em que uns homens tocavam trombetas, não foi, Juju?

— Foi mesmo! E era um som bem forte!

— Então — prossegue dona Lola —, imaginem só aquela voz forte, como o som de trombeta, dizendo: ***"O que vês escreve em livro e manda para as Sete Igrejas que estão na Ásia: Éfeso, Esmirna, Pérgamo, Tiatira, Sardes, Filadélfia e Laodiceia"***.

— Quem será que falava com ele? Algum dos guardas?

— Aí é que está, Juju, quando João Evangelista virou-se para ver quem era, ele viu sete candeeiros de ouro e, no meio deles, alguém de cabelos brancos como a neve e com roupas que iam até os pés.

Sarita e Vítor até se levantam querendo saber mais.

— Cabelos brancos? Roupas até os pés? Quem era?

— E como era a aparência dessa pessoa, vovó? — pergunta Vítor. — Ela era parecida com a gente?

— Calma, Sarita! Calma, Vítor!!! Na altura do peito, Aquele Ser Iluminado tinha uma cinta de ouro e se apresentava como realmente é, na plenitude de Sua Autoridade Espiritual. Seus pés eram fortes como bronze, de Sua boca saía uma espada afiada, com corte dos dois lados.

O PODER DE UMA PALAVRA

— Que estranho! Uma espada saindo da boca... — Yuri tenta entender o que seria aquilo.

— Até eu estou curiosa, dona Lola! — fala Naomi, que está encantada e, ao mesmo tempo, impressionada com a interessante narrativa.

— Acontece que essa espada representava e representa as palavras **firmes, fortes e verdadeiras** que saíam da boca Daquele Ser Iluminado. E essas palavras não ferem ninguém, mas são usadas com Bondade e Amor, tanto na Terra quanto na Espiritualidade, para acabar com a maldade que existe no coração das pessoas. Então, devemos prestar atenção ao que falamos, porque podemos ajudar ou prejudicar alguém. Vocês entenderam o significado da espada saindo da boca?

— Sim, vovó! Eu só falo coisas boas aos meus amiguinhos, ao papai e à mamãe também — afirma Luizinha.

Nesse momento, as crianças se entusiasmam e começam a contar as boas ações que realizam no dia a dia.

— Que bom. Isso mesmo! — parabeniza a vovó, toda satisfeita e orgulhosa com a turminha. — Continuem assim, meus netinhos. Mas, voltando à nossa história... Na mão direita Daquele Ser, João viu sete estrelas, os olhos como chama de fogo e o rosto brilhava muito forte, como o Sol, com toda sua força.

— Então, era durante o dia e estava muito calor! — conclui Luizinha.

Realmente, cada um que ouve esta história viaja na imaginação! Até a vovó parece encantada, mas continua com suas lições:

— Diante de tanta Luz, o Apóstolo caiu como morto. Ele não entendia o que estava acontecendo!

As crianças, com os olhos arregalados, começam a se imaginar lá na ilha de Patmos, vendo tudo, pessoalmente!

— Naquele momento, transmitindo uma sensação de calma, de tranquilidade, Aquele Ser colocou Sua mão direita sobre João e disse-lhe que não tivesse medo, porque Ele havia sido crucificado, sim, mas estava, está e estará **VIVO** para sempre!

— Será que João Evangelista estava falando com Quem eu estou pensando? — arrisca Yuri.

— Quem vocês imaginam que é? — pergunta a vovó.

— Sim, era o Mestre Amado Quem estava ali diante de João Evangelista. Ele estava vendo Jesus Glorificado, cheio de vitórias, fora da cruz, vivo!

— Que lindo, hein, vovó!? Imagino a alegria de João — Vítor comenta emocionado.

— Sim, muita alegria para todos nós também! E o mais importante: João Evangelista registrou no início do Apocalipse as palavras de Deus afirmando que Jesus voltará e todos os olhos O verão! Não há dúvida: Jesus Está Chegando! E nós podemos sentir a Luminosa Presença Dele no coração cada vez que praticamos o Bem — completa dona Lola.

— Que lindo! Que lindo! — Luizinha vibra dando pulos de alegria e batendo palmas.

— Inclusive, vocês se lembram que o Apocalipse é um livro de Bem-Aventuranças?

— Sim, a senhora disse que ser bem-aventurado é ser feliz!

— Isso mesmo, Sarita! Na história toda encontramos sete vezes João registrando Bem-Aventuranças. E a primeira delas afirma: ***"Bem-aventurados aqueles que leem e aqueles que ouvem as palavras da profecia deste Livro e guardam as coisas nele escritas, pois o Tempo está próximo"***.

— Então, eu tenho que guardar as palavras, vovó? — questiona Luizinha.

— Essa pergunta é muito importante! Ler, ouvir e guardar as palavras do Apocalipse significa, antes de tudo, praticá-las! Porque não adianta saber e guardar numa gavetinha no coração, o importante é viver os ensinamentos de Jesus que estão neste livro. E vocês prestaram atenção que foi dito que **o Tempo está próximo**?

— O que está próximo? O que vai acontecer?

— Muita coisa já aconteceu, está acontecendo e vai acontecer, Vítor, mas o que a gente mais espera que ocorra é a Volta Triunfal de Jesus para trazer Paz à Terra! Por isso, temos que fazer o Bem, viver os ensinamentos do Apocalipse do Cristo desde já, pois assim vamos nos sentir mais próximos de Jesus! E, crianças, só para ver se vocês estão prestando atenção, onde nós paramos na história do Apocalipse?

— João estava vendo Jesus Glorificado, e foi um momento tão forte que ele caiu como morto… — relembra Yuri.

— E o que aconteceu depois, vovó?

— Aconteceu, Sarita, que Jesus revelou a João o significado das estrelas e dos candeeiros...

— Se o Cristo revelou é porque não era segredo! — lembra Yuri.

— Verdade! A vovó já falou que a palavra Apocalipse quer dizer **REVELAÇÃO!** — reforça Vítor.

— Quando minha amiguinha me conta uma coisa e fala que é segredo, eu não conto pra ninguém; então, se João Evangelista escreveu pra todo mundo ler, não é segredo!

A maneira divertida de Luizinha interpretar os acontecimentos põe um sorriso no semblante da vovó.

— Mas, afinal, o que Jesus revelou para João, vovó? — Sarita não consegue conter a curiosidade.

— Bem, isso é o que veremos amanhã, certo?

— Ah não, conte mais um pouco, vovó. Não vamos aguentar esperar até amanhã — as crianças insistem querendo ouvir mais um pouco, mas, percebendo que a vovó estava decidida, resolvem obedecer. Juju chama a atenção de todos para observar a Natureza, destacando algo que nem tinham percebido:

— Nossa, a chuva parou! Vejam que lindo arco-íris no céu! Então, já que teremos de esperar até amanhã, podemos brincar mais um pouco, vovó?!

— Claro e gostei de ver, queridos netinhos! Perseverem, porque um grande destaque do Apocalipse de Jesus é a **Perseverança!**

— Per-se-ve-ran-ça! Mais uma palavra nova, né? — observa Yuri.

— Eu acho que perseverar significa saber esperar e não desistir, não é, vovó?

— Acertou. Parabéns, Vítor!

E, assim, as crianças começam a desenhar na terra, com gravetos de árvores, Jesus, o arco-íris, as estrelas, as trombetas e os Anjos.

No fim do dia, depois de muitas aventuras, dona Lola e seus netinhos se despedem de Yuri e Naomi e retornam para a casa da vovó, satisfeitos com tanto aprendizado e diversão que aquele dia reservou para eles.

JESUS

QUANTO APRENDIZADO E DIVERSÃO! NO PRÓXIMO VOLUME, VAMOS ENTENDER O SIGNIFICADO DAS ESTRELAS E DOS CANDEEIROS. ESTÃO CURIOSOS PARA O PRÓXIMO LIVRO?

Vamos relembrar o que aprendemos hoje:

* João permaneceu no Dia do Senhor para conseguir registrar as revelações do Apocalipse.
* Permanecer no Dia do Senhor quer dizer estar no Tempo e Espaço de Deus, ou seja, com o pensamento ligado constantemente ao Mestre Amado.
* Jesus Glorificado aparece a João com vários símbolos para mostrar Sua Autoridade Espiritual, conquistada pelo Amor que Ele dedica a toda a humanidade. Alguns símbolos foram: voz como de trombeta, espada afiada de dois gumes, vestes brancas com uma cinta de ouro, pés como bronze polido, rosto como Sol, olhos como chama de fogo, cabelos brancos como a neve, sete estrelas na mão direita e entre sete candeeiros.
* Jesus está Vivo e está voltando, conforme prometeu, à vista de todos!

CADERNO DE ATIVIDADES

QUE TAL DESENHAR ALGUMA REPRESENTAÇÃO DO QUE JÁ APRENDEU SOBRE ESSA EMPOLGANTE NARRATIVA?

AJUDE ESTES AMIGOS A SE ENCONTRAREM

QUAL DOS DESENHOS CORRESPONDE À DONA LOLA EM DESTAQUE?

VAMOS COLORIR?

Respostas na página 31

DESCUBRA OS 7 ERROS

LOCALIZE NO DIAGRAMA AS SEGUINTES PALAVRAS: JESUS, APOCALIPSE, GLORIFICADO, CANDEEIROS, ESTRELA, OURO, BRONZE, IGREJAS E ESPADA

A	G	L	O	R	I	F	I	C	A	D	O	M	I	Q	A
E	E	S	Ç	L	M	W	Y	H	Q	Q	U	Y	G	R	X
S	W	Q	Y	T	N	A	J	R	W	A	R	T	R	Y	E
T	T	Z	C	A	N	D	E	E	I	R	O	S	E	U	Z
R	H	M	B	H	M	N	S	C	T	Y	W	A	J	P	N
E	B	N	R	Q	D	V	U	E	U	I	P	O	A	A	O
L	A	Y	A	I	O	E	S	P	A	D	A	Q	S	W	R
A	P	O	C	A	L	I	P	S	E	V	C	T	M	N	B

DECIFRE E REVELE A NOTÍCIA MAIS IMPORTANTE DE TODOS OS TEMPOS

Respostas na página 31

ADICIONE OS SÍMBOLOS DESCRITOS POR JOÃO EVANGELISTA EM SUA VISÃO DE JESUS GLORIFICADO. APÓS ISSO, PINTE O DESENHO

Sugestões: estrelas, cinta de ouro, espada, vestimentas brancas, candeeiros (você pode representar isso com uma lâmpada antiga ou algo que simbolize uma luz muito forte).

DESCUBRA O CAMINHO CORRETO

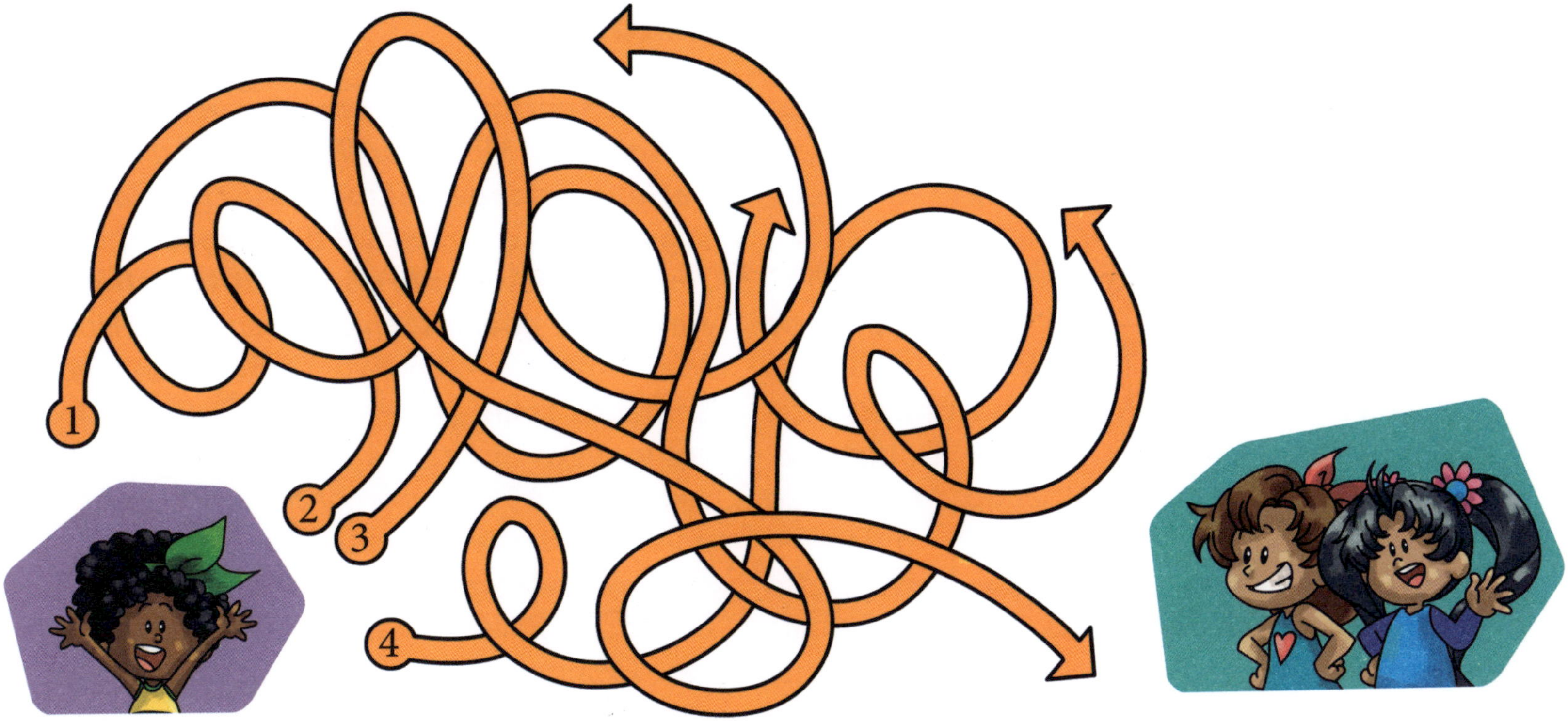

RESPOSTAS

Respostas da página 26:
Qual dos desenhos corresponde à dona Lola em destaque?
Resposta: 4.
Ajude estes amigos a se encontrarem

Resposta da página 28:
Descubra os 7 erros

Respostas da página 29:
Diagrama:

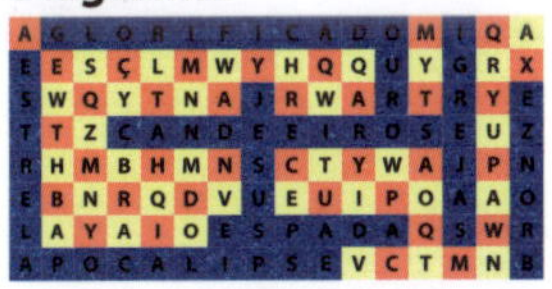

Decifre e revele a notícia mais importante de todos os tempos
Resposta: Jesus Está Chegando!

Resposta da página 31:
Descubra o caminho correto
Resposta: 3.

Jesus, o Cristo Ecumênico, o Divino Estadista

Aos pais, responsáveis e educadores, apresentamos este conceito criado pelo Presidente-Pregador da Religião de Deus, do Cristo e do Espírito Santo, José de Paiva Netto, durante histórica entrevista que concedeu, em 1989, ao produtor de documentários da TV polonesa, na época Vice-Presidente da Associação Universal de Esperanto, jornalista Roman Dobrzyński. Na ocasião, Roman, analisando a missão do Templo da Boa Vontade (TBV), o Templo do Ecumenismo Divino, que Paiva Netto inauguraria no dia 21 de outubro daquele ano, em Brasília/DF, Brasil, arguiu o dirigente da Religião do Amor Universal sobre como podia pregar o Ecumenismo Irrestrito falando em Jesus. Paiva Netto, então, discorreu acerca do tema, resumindo décadas de pregação dele a respeito de assunto tão fundamental da doutrina da Religião do Terceiro Milênio: *"Uma das grandes tarefas da Religião de Deus, do Cristo e do Espírito Santo, meu caro Roman, é dessectarizá-Lo, pois Jesus é o Cristo Ecumênico, portanto universal. (...) O Divino Mestre* ***não é limitado****. Ele é o Ideal Celeste de Humanidade, Amor, Solidariedade, Justiça e Compaixão para todos os seres espirituais e humanos.* ***Jesus é uma conquista diária para os que têm sede de Saber, de Misericórdia, de Fraternidade, de Generosidade, de Liberdade e Igualdade, segundo a Lei Universal da Reencarnação. Jesus, em Si mesmo, não constitui fator de rancores e guerras.*** *Pregou, com o Seu Novo Mandamento* — 'Amai-vos como Eu vos amei. Somente assim podereis ser reconhecidos como meus discípulos' *(Evangelho, segundo João, 13:34 e 35)* —*, o Amor elevado à enésima potência. O que as criaturas terrenas fizeram com a Sua Mensagem é criação reducionista delas (...). Revelar o excelso significado do Seu Evangelho e do Seu Apocalipse, sem odiosa intolerância, ou seja, em Espírito e Verdade, à luz do Seu Novo Mandamento de Amor Fraternal, é um destacado serviço que a Religião de Deus, do Cristo e do Espírito Santo está prestando à sociedade do mundo (...)"*. Cabe destacar que Roman se tornou admirador e divulgador desse Ideal de Boa Vontade, constantemente encaminhando à Religião do Amor Universal histórias e experiências vivenciadas quando de suas palestras e aulas em diversos lugares do globo, entre estas as ministradas na Universidade de Pequim, na China.

Querido Soldadinho de Deus, estamos muito interessados em saber o que você achou desta história e o que aprendeu com ela. Peça para a mamãe, o papai ou o seu responsável para compartilhar suas ideias ou dúvidas sobre o Apocalipse conosco! Eles podem enviar esta página para a Rua Doraci, 90 — Bom Retiro — São Paulo/SP — CEP 01134-050. Ou, se for mais fácil, é só tirar uma foto e encaminhá-la para o nosso *e-mail:* editora@elevacao.com.br. Estamos aguardando sua participação!

Nome:
Idade:
Cidade:

Soldadinhos de Deus

LBV